Un montón de...
RANAS RAYADAS

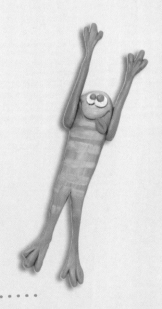

Texto e ilustraciones

**LUCIANA
FERNÁNDEZ**

unaLuna

Si un día cualquiera
te encontraras con
**un montón
de...**

¡Croac, croac, croac!

RANAS
RAYADAS

ranas rayadas

...¿Hay alguien ahí?...

ISLAS INHÓSPITAS

islas inhóspitas

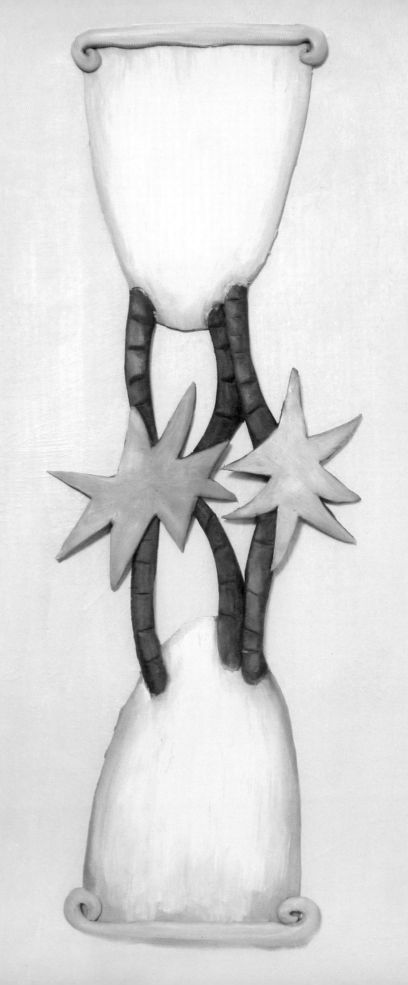

¿Te sabes un tanguito…

SIRENAS
SILBADORAS

sirenas silbadoras

…o un rock and roll?

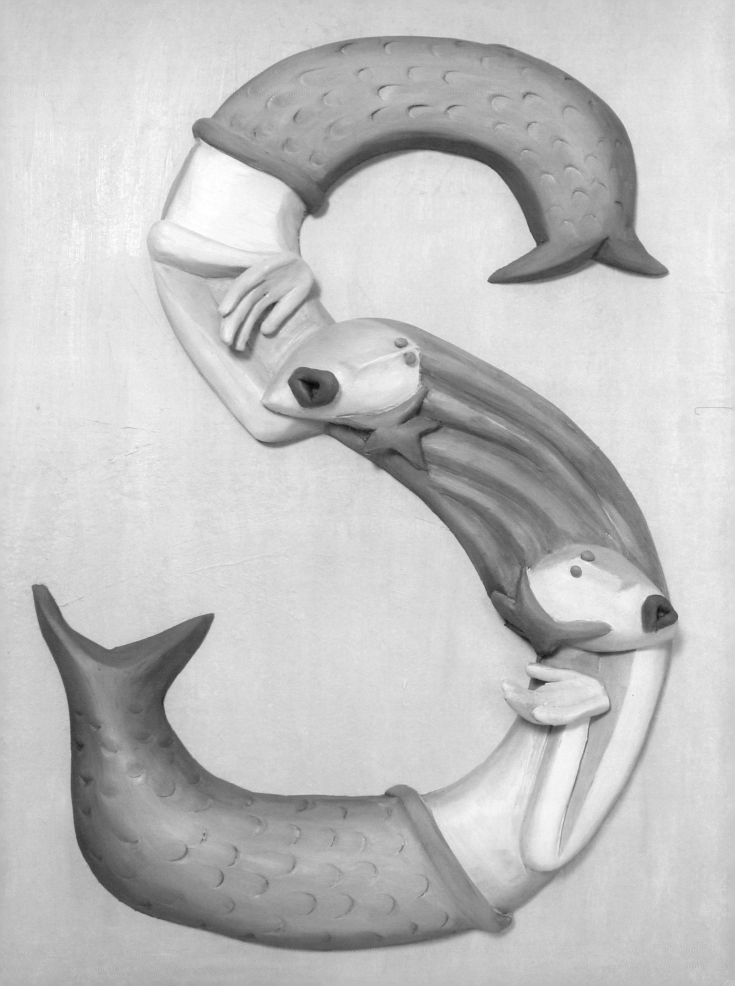

¡Corriéndose para el fondo!!!

ANCHOAS APRETADAS

anchoas apretadas

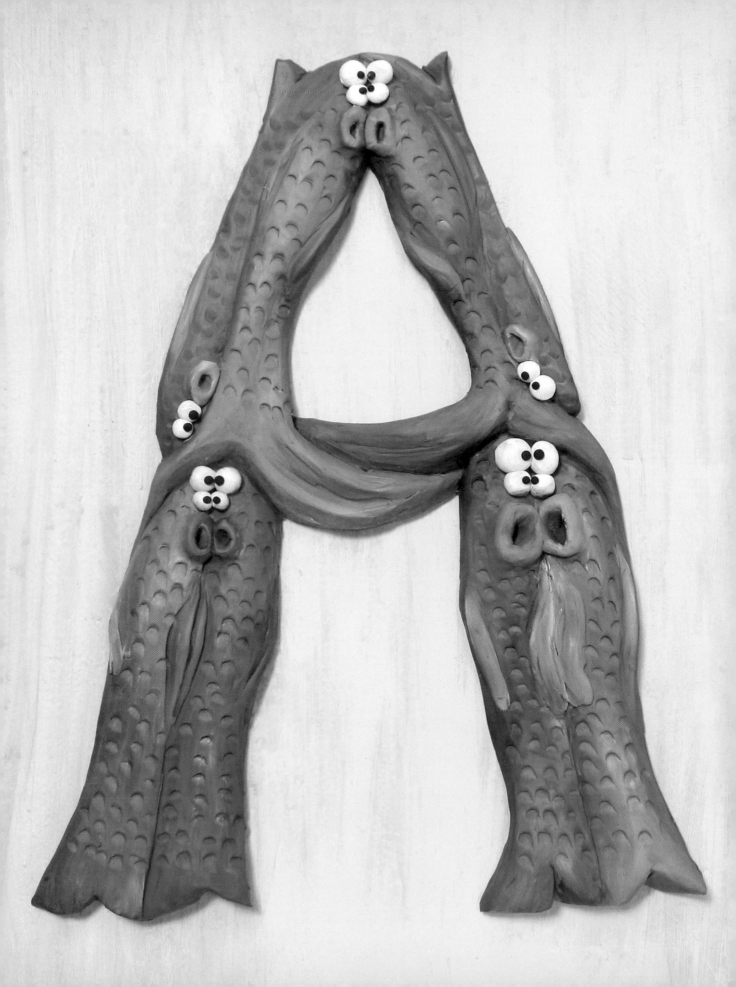

¡Se puso colorado, ja ja!

SOLES
SONRIENTES

soles sonrientes

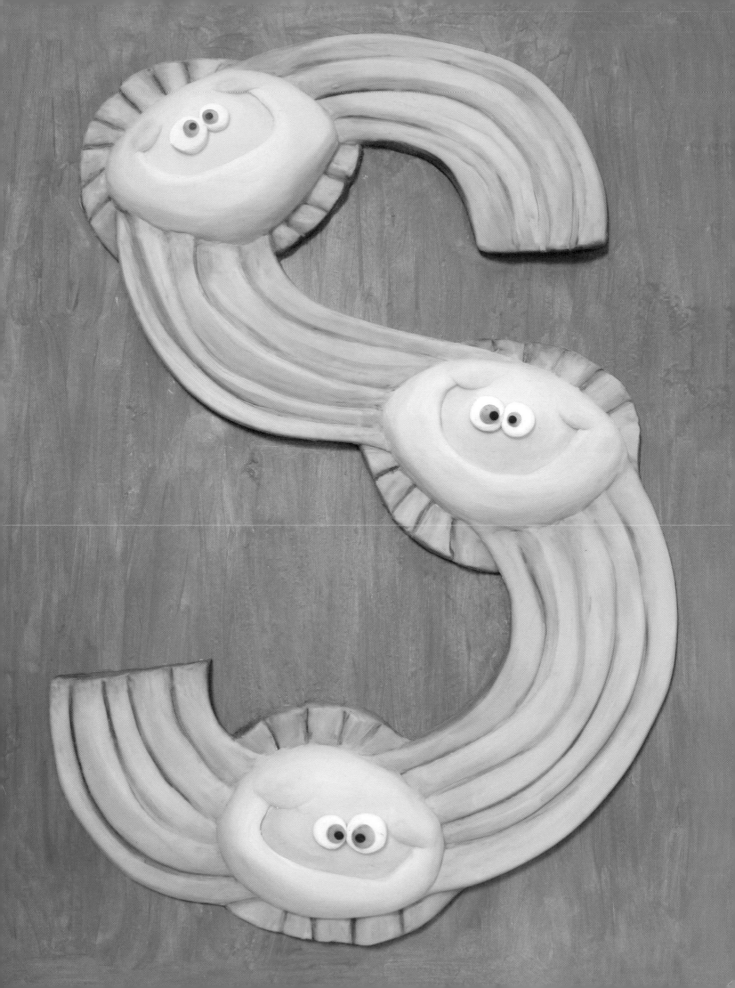

JÚNTALOS

Y TE
LLENARÁS DE...

¿Te sabes un tanguito…

…¿Hay alguien ahí?…

¡Se puso colorado, ja ja!

¡Corriéndose para el fondo!!!

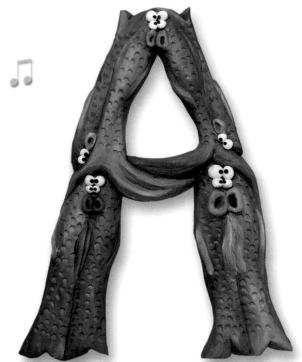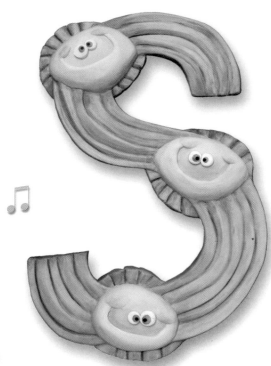

¡Croac, croac, croac!

EL ABECEDARIO

el abecedario

Fernández, Luciana
    Un montón de ranas rayadas / Luciana Fernández; ilustrado por Luciana Fernández.
    - 1a ed. - Buenos Aires: Unaluna, 2009.
    24 p.: il.; 26 x 20 cm.

    ISBN 978-987-1296-61-3

    1. Libros para Niños. I. Luciana Fernández, ilus.

    CDD 808.899 282

Texto e ilustraciones: Luciana Fernández

Fotografías: Natalia Álvarez

Diseño: Mariana Salemme

ISBN: 978-987-1296-61-3

© Unaluna, 2009
© Editorial Heliasta S.R.L., 2009

Distribuidores exclusivos: Editorial Heliasta S.R.L.
Juncal 3451 (C1425AYT) Buenos Aires, Argentina
Teléfono - Fax: (54-11) 4804-0472 / 0119 / 8757 / 0215
editorial@unaluna.com.ar / www.unaluna.com.ar

Queda hecho el depósito que establece la Ley 11.723.
Libro de edición argentina.
Impreso en PRINTING BOOKS, Mario Bravo 835, Avellaneda, Pcia. de Buenos Aires,
en el mes de abril 2009.